مرہ کی

چالیس

مسنون دعائیں

40

DAILY PRAYERS

اسلامک بک سروس

2872، کوچہ چیلان، دریا گنج، نئی دہلی، 110 002 (انڈیا)

Ph.: 23253514, 23265380, 23286551, Fax: 23277913
E-mail: ibsdelhi@del2.vsnl.net.in
islamic@eth.net
Website: http//www.islamic-india.com

40 DAILY PRAYERS

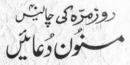

روزمرّہ کی چالیس
مسنون دُعائیں

ISBN: 81-7231-508-2

Reprint Edition: 2006

Published by Abdul Naeem for
Islamic Book Service
2872, Kucha Chelan, Darya Ganj, New Delhi-110 002
Ph.: 23253514, 23265380, 23286551, Fax: 23277913
E-mail: ibsdelhi@del2.vsnl.net.in
islamic@eth.net
Website: www.islamic-india.com

Printed at: Noida Printing Press, C-31, Sector-7, Noida (Ghaziabad) U.P.

PREFACE

Prayer is a spontaneous outpouring of a man before his Lord. When a man without any witness, speaks with God, the soul stands unveiled before its Creator.

The Holy Prophet (SAW) was a great believer in prayers. He made supplications to his Lord with a zeal and fervour rarely to be found in the religious literature of the world. One who cares to read them cannot be but overwhelmed with the depth of feelings with which he approached his Lord, his intense love for the great Master, his profound sense of gratitude that he owed to Allâh for His unbounded favours He showered upon him, his unshakable confidence in the Divine Mercy and unfaultering faith in His Might and Power and his own feelings of humility before Him. These are some of the multi-coloured threads with which is woven the delicate pattern of Prophet's prayers.

In this age of gross materialism, a book dealing with prayers may have no ready market. The modern mind is so much engrossed in the material pursuits of life that he hardly finds any time to respond effectively to the yearning of his soul. But in the midst of this turmoil he sometimes finds himself in the grip of a dreadful void in his soul and sets out frantically in search of spiritual peace. It is on this occasion that one finds solace and comfort in prayer.

May Allâh accept our humble prayers.

CONTENTS

KALIMAH

MAKING WUDHU

TASBIHAAT-E-SALAH

1
DÛ'A FOR MORNING

صبح کے وقت پڑھنے کی دعا

اَللّٰهُمَّ بِكَ اَصْبَحْنَا وَبِكَ اَمْسَيْنَا وَبِكَ نَحْيٰى وَبِكَ نَمُوْتُ وَ اِلَيْكَ الْمَصِيْرُ ۝

اے اللہ! تیری ہی قدرت سے ہم صبح کے وقت میں داخل ہوئے اور تیری ہی قدرت سے ہم شام کے وقت میں داخل ہوئے اور تیری ہی قدرت سے ہم جیتے اور مرتے ہیں اور تیری ہی طرف جانا ہے۔

Allâhumma bika asbahnâ wa bika amsainâ wa bika nah'yâ wa bika namûtu wa ilaikal-masîr.

"O God! With Thy help do we enter upon the morning and with Thy help do we enter upon the evening. With Thy grace do we live and with Thy decree do we die, and to Thee is the final Return."

Hadith: Abu Huraira says that the Holy Prophet (S.A.W) advised his companions to utter these prayers in the morning and evening respectively. *(Tirmidhi)*

2
DU'A FOR EVENING

شام کے وقت پڑھنے کی دعا

اَللّٰهُمَّ بِكَ اَمْسَيْنَا وَبِكَ اَصْبَحْنَا وَبِكَ نَحْيٰى وَبِكَ نَمُوْتُ وَاِلَيْكَ النُّشُوْرُ ۝

اے اللہ! ہم تیری ہی قدرت سے شام کے وقت میں داخل ہوئے اور تیری ہی قدرت سے صبح کے وقت میں داخل ہوئے اور تیری ہی قدرت سے جیتے اور مرتے ہیں اور مرنے کے بعد پھر زندہ ہو کر تیری ہی طرف جانا ہے۔

Allâhumma bika amsainâ wa bika asbahnâ wa bika nah'yâ wa bika namûtu wa ilaikan-nushûr.

"O God! We enter upon the evening and we enter upon the morning with Thy help. With Thy grace do we live and with Thy decree do we die. And finally to Thee shall be the Resurrection."

Hadith: Abu Huraira reported Allâh's messenger (peace and blessings of Allâh be upon him) as saying, Allâh does not look at your forms and your possessions but he looks at your hearts and your deed. *(Muslim)*

3

PRAYER OFFERED BY THE HOLY PROPHET AT THE TIME OF GOING TO BED

سوتے وقت پڑھنے کی دعا

جب سونے کا ارادہ کریں تو پہلے وضو کرلیں اور صاف بستر پر داہنی کروٹ لیٹیں اور سر کے نیچے ہاتھ رکھ کر سُبْحَانَ اللّٰہِ ۳۳بار، اَلْحَمْدُ لِلّٰہِ ۳۳بار اور اَللّٰہُ اَکْبَرُ ۳۴بار پڑھیں اور پھر تین بار یہ دعا پڑھیں۔

اَللّٰھُمَّ بِاسْمِكَ اَمُوْتُ وَاَحْيٰ　　اے اللہ! میں تیرا ہی نام لے کر مرتا اور جیتا ہوں۔

Allâhumma Bismika Amûtu Wa Ahyâ.

"In Thy name, O Allâh: I shall die and in Thy name I shall live."

Hadith: As narrated by H. Hudhaifa, the Prophet of Allâh would utter this prayer when he went to bed. *(Bukhâri and Muslim)*

4
AT THE TIME OF AWAKENING

سوکر اٹھنے کے بعد پڑھنے کی دعا

اَلْحَمْدُ لِلّٰهِ الَّذِیْٓ اَحْیَانَا بَعْدَ مَآ اَمَاتَنَا وَ اِلَیْهِ النُّشُوْرُ ○

سب تعریفیں اللہ ہی کے لئے ہیں جس نے ہمیں موت دے کر زندگی بخشی اور ہم کو اسی کی طرف اٹھ کر جانا ہے۔

Alhamdu lillâhil-lazî Ahyânâ Ba'da Mâ Amatanâ Wa Ilaihin-nushûr.

"Praise belongs to Allâh Who has restored us to life after causing us to die. Towards Him is the Resurrection."

According to the same narrator, the Holy Prophet would utter this prayer when he woke up from sleep.

5
AT THE TIME OF ENTERING THE CLOSET

بیت الخلاء میں داخل ہونے سے پہلے بِسْمِ اللّٰهِ کہے اور پھر یہ دعا پڑھے

اَللّٰهُمَّ اِنِّیْٓ اَعُوْذُ بِكَ مِنَ الْخُبُثِ وَالْخَبَآئِثِ ؕ

اے اللہ! میں تیری پناہ چاہتا ہوں خبیث جنوں سے مرد ہوں یا عورت۔

Allâhumma inni a'ûzu bika minal-khubu<u>th</u>i wal-khabâith.

"O God! I seek refuge with Thee from the foul male and female devils."

6

WHEN COMING OUT OF CLOSET

بیت الخلاء سے باہر نکلتے وقت یہ دعا پڑھے

اَلْحَمْدُ لِلّٰهِ الَّذِیْٓ اَذْهَبَ عَنِّی الْاَذٰی وَ عَافَانِیْ

سب تعریفیں اللہ ہی کے لئے ہیں جس نے مجھ سے ایذا دینے والی چیز دور کی اور مجھے چین دیا۔

Alhamdu lillâhillazî azhaba annil azâ wa 'âfânî.

"Praise be to Allâh Who relieved me from the suffering and gave me relief."

7

AT THE BEGINNING OF WUZÛ (ABLUTION)

جب وضو کرنا شروع کرے تو یہ دعا پڑھے

اَللّٰهُمَّ اغْفِرْلِیْ ذَنْبِیْ وَوَسِّعْ لِیْ فِیْ دَارِیْ وَ بَارِكْ لِیْ فِیْ رِزْقِیْ۔

اے اللہ! مجھے بخش دے اور میرے گھر میں وسعت دے، اور میرے رزق میں برکت عطا کر۔

Allâhummagh-firlî Zambî Wa was-si' lî fi dâri wa Bârik lî fi rizqî.

"O Allâh! Grant me forgiveness for my sins, grant me expansion in my house and bless my livelihood."

Hadith: Prophet (S.A.W.) said that one who is not trust-worthy is without Imân and one who does not keep his promise is irreligious.

8

DU'A AFTER WUZÛ

وضو کے بعد یہ دعا پڑھے

اَشْهَدُ اَنْ لَّآ اِلٰهَ اِلَّا اللّٰهُ وَحْدَهٗ لَا شَرِيْكَ لَهٗ وَاَشْهَدُ اَنَّ مُحَمَّدًا عَبْدُهٗ وَرَسُوْلُهٗ ○

میں گواہی دیتا ہوں کہ اللہ کے سوا کوئی معبود نہیں، وہ تنہا ہے اس کا کوئی شریک نہیں، میں گواہی دیتا ہوں کہ محمد صلی اللہ علیہ وسلم اللہ کے بندے اور اس کے رسول ہیں۔

اَللّٰهُمَّ اجْعَلْنِىْ مِنَ التَّوَّابِيْنَ وَاجْعَلْنِىْ مِنَ الْمُتَطَهِّرِيْنَ ○

اے اللہ! مجھے بہت توبہ کرنے والوں میں اور خوب پاک رہنے والوں میں شامل فرمادے۔

Ash-hadû allâilâha illallâhu wahdahû lâ sharîka lahu wa Ash-hadû anna muhammadan 'Abduhû wa rasûluhû.

Allâhummaj-'alnî Minat-tawwabîna Waj-'alnî Minal-mutatah-hirîn.

"I bear witness that there is no deity except Allâh. He is One. He hath no partners. And I bear witness that Muhammad is His slave and His messenger."

Hadith: The Holy Prophet (S.A.W) said that if a person performed his ablution, washed the parts of his body properly and recited these words, all the eight gates of Paradise are opened for him to enter through any he likes. *('Umar b. Khattab)*

9

AT THE TIME OF ENTERING THE MOSQUE

مسجد میں داخل ہونے کی دعا

اَللّٰهُمَّ افْتَحْ لِیْ اَبْوَابَ رَحْمَتِكَ ○ اے اللہ! میرے لئے اپنی رحمت کے دروازے کھول دے۔

Allâhummaftah lî Abwaba Rahmatik.

"O Allâh! Open to me the doors of Thy mercy."

10

WHILE COMING OUT OF THE MOSQUE

مسجد سے نکلتے وقت کی دعا

اَللّٰهُمَّ اِنِّیْ اَسْئَلُكَ مِنْ فَضْلِكَ ○ اے اللہ! میں تجھ سے تیرے فضل کا سوال کرتا ہوں۔

Allâhumma innî As'aluka min Fazlik.

"I beg of Thee Thy bounty."

Hadith: The Holy Prophet says: "When any one leaves the mosque after saying his prayers, he should say this to seek Allâh's bounty."

(Sahih Muslim, Abu Humaid)

11

ON HEARING THE AZÂN

اذان سنے تو یہ دعا پڑھے

اذان کے اندر جو الفاظ ہیں انہیں دہراتے جائیں اور حَیَّ عَلَی الصَّلٰوۃِ ط حَیَّ عَلَی الْفَلَاحِ ط کے جواب میں لَا حَوْلَ وَلَا قُوَّةَ اِلَّا بِاللّٰهِ ط کہے۔

To the call of the *Mu'azzin* (the one who says Azân) you should respond the same way as *Mu'azzin* except at *Hayya 'alas-salâh* and *Hayya 'alal-falâh* you should respond *Lâ haula walâ quwwata illâ billâh.*

12

PRAYERS TO BE UTTERED AFTER HEARING THE AZÂN (CALL FOR PRAYERS)

اذان ختم ہونے کے بعد درود پڑھ کر یہ دعا پڑھیں

اَللّٰهُمَّ رَبَّ هٰذِهِ الدَّعْوَةِ التَّآمَّةِ وَ الصَّلٰوةِ الْقَآئِمَةِ اٰتِ مُحَمَّدَ الْوَسِيْلَةَ وَالْفَضِيْلَةَ وَابْعَثْهُ مَقَامًا مَّحْمُوْدَ نِ الَّذِیْ وَعَدْتَّهٗ اِنَّكَ لَا تُخْلِفُ الْمِيْعَادَ ٥

اے اللہ! اس پوری پکار کے رب اور قائم ہونے والی نماز کے رب، محمد (صلی اللہ تعالیٰ علیہ وسلم) کو وسیلہ عطا فرما (جو جنت کا ایک درجہ ہے) اور ان کو فضیلت عطا فرما اور ان کو مقام محمود پر پہنچا جس کا تونے ان سے وعدہ فرمایا ہے۔ بے شک تو وعدہ خلافی نہیں کرتا ہے۔

Allâhumma rabba hâzihid-da'watit-tâmmati was-salâtil qâ'imati âti muhammadanil-wasîlata walfazîlata wab'athhu maqâmam-mahmûdanil-lazî wa 'at-tahû innaka lâ tukhliful-mî'âd.

"O Allâh! Lord of this perfect call and the Salât to be offered (presently), bestow upon Muhammad *al-Wasilah* as well as eminence. Also raise him to the glorious station Thou hast promised him. Certainly You keep the promises."

13

WHILE SITTING IN THE MOSQUE

مسجد میں بیٹھ کر یہ دعا پڑھیں

سُبْحَانَ اللّٰهِ وَالْحَمْدُ لِلّٰهِ وَلَآ اِلٰهَ اِلَّا اللّٰهُ وَ اللّٰهُ اَكْبَرُ ط

اللہ پاک ہے اور سب تعریفیں اللہ ہی کے لئے ہیں اور اللہ کے سوا کوئی معبود نہیں اور اللہ سب سے بڑا ہے۔

Subhânal-lâhi wal-hamdu lillâhi Walâ ilâha illallâhu Wallâhu Akbar.

"Glory be to Allâh. Praise be to Allâh. There is no god but Allâh. Allâh is the Supreme."

14

PRAYERS AFTER SALÂT

نماز کے بعد سلام پھیر کر تین بار اَستَغفِرُاللّٰہ کہے اور یہ دعاء پڑھے

اَللّٰھُمَّ اَنتَ السَّلَامُ وَ مِنکَ السَّلَامُ تَبَارَکتَ یَا ذَالجَلَالِ وَالاِکرَامِ ط

اے اللہ! تو سلامت رہنے والا ہے اور تجھ ہی سے سلامتی مل سکتی ہے۔ تو بابرکت ہے، اے بزرگی اور عظمت والا۔

Allâhumma antas-salâmu wa minkas-salâmu, tabârakta yâ zal-jalâli wal-ikrâm.

"O God! Thou art the Peace and from Thee is the Peace. Blessed art Thou, O Lord of Grandeur and Glory."

Hadith: Hazrat Thaubân (R.Z.A) [freed slave of the Holy Prophet (SAW)] says that after he had turned his head towards the right and towards the left (speaking the words اسلام علیکم و رحمة الله) (which mark the end of Salât), the Holy Prophet (S.A.W) would say استغفراللّٰہ (I ask God's Forgiveness) thrice and then would utter these words. *(Sahih Muslim)*

15

THE FOLLOWING SUPPLICATION SHOULD BE MADE AFTER MORNING AND EVENING PRAYERS

فجر اور مغرب کی نماز کے بعد کی دعا

اَللّٰھُمَّ اَجِرنِی مِنَ النَّارِ ط[1]

اے اللہ مجھے دوزخ سے محفوظ فرما۔

Allâhumma Ajirni minan nari.

"O Allâh! Protect me against the fire (of Hell)."

---

1. رسول اللہ صلی اللہ علیہ وسلم نے ارشاد فرمایا ہے کہ فجر اور مغرب کی نماز کے بعد کسی سے بات کرنے سے پہلے اگر سات مرتبہ تم نے اس دعا کو پڑھ لیا تو اگر اس دن یا اس رات میں مر جاؤ گے تو تمہاری دوزخ سے ضرور خلاصی ہوگی۔

16

PRAYERS TO BE RECITED ON LEAVING ONE'S HOUSE

گھر سے نکلتے وقت یہ دعا پڑھے

بِسْمِ اللّٰهِ تَوَكَّلْتُ عَلَى اللّٰهِ وَلَا حَوْلَ وَلَا قُوَّةَ اِلَّا بِاللّٰهِ ؕ

میں اللہ ہی کا نام لے کر نکلا اور اللہ ہی پر بھروسہ کیا۔ گناہوں سے بچنے اور عبادت کرنے کی صلاحیت اللہ ہی کی طرف سے ہے۔

Bismillâhi tawak-kaltu 'alal-lâhi walâ haula walâ quwwata illa billâh.

"(I leave 3

Hadith: The Messenger of Allâh said: Whoso recites this prayer on leaving (his house gets the response) كيفيت (Thy errand has been set right) وقيت (Thou art guarded). هديت (Thou art guided) The satan avoids him and says to his fellow Satans, "How can you harm such a fellow? He has been guided to the right path; his errand has been set right for him; and he has been guarded against harm'. *(Abu Dawud, Tirmidhi)*

17

WHILE ENTERING IN THE HOUSE

گھر میں داخل ہوتے وقت کی دعا

اَللّٰهُمَّ اِنِّىٓ اَسْئَلُكَ خَيْرَ الْمَوْلَجِ وَخَيْرَ الْمَخْرَجِ بِسْمِ اللّٰهِ وَلَجْنَا وَعَلَى اللّٰهِ رَبِّنَا تَوَكَّلْنَا

اے اللہ! میرا داخلہ اور میرا باہر نکلنا میرے لئے خیر کا باعث ہو۔ میں اللہ کا نام لے کر داخل ہوا اور میں نے اللہ پر بھروسہ کیا۔

(اس کے بعد گھر والوں کو سلام کرے)

Allâhumma Inni As'aluka Khairal Maulaji Wa Khairal

Makhraji Bismil-lâhi walajna wa 'alal-lâhi Rabbina Tawak-kalna.

"O Allâh! I beg of Thee the best of Arrivals and the best of Departures. We have entered with the name of Allâh, and with His name did we go out. And in Allâh, our Lord, do we place our trust."

18
BEFORE ENTERING THE MARKET

بازار میں جائے تو یہ دعا پڑھے

بِسْمِ اللّٰهِ اَللّٰهُمَّ اِنِّیٓ اَسْئَلُكَ
خَیْرَ هٰذِهِ السُّوقِ وَخَیْرَ مَا
فِیْهَا وَاَعُوْذُ بِكَ مِنْ شَرِّهَا وَ
شَرِّ مَا فِیْهَا اَللّٰهُمَّ اِنِّیٓ اَعُوْذُ بِكَ
اَنْ اُصِیْبَ فِیْهَا یَمِیْنًا فَاجِرَةً
اَوْصَفْقَةً خَاسِرَةً ط

میں اللہ کا نام لے کر داخل ہوا۔ اے اللہ! میں تجھ سے اس بازار کی اور جو کچھ اس بازار میں ہے اس کی خیر طلب کرتا ہوں اور تیری پناہ چاہتا ہوں اس بازار کے شر سے اور جو کچھ اس بازار میں ہے اس کے شر سے۔ اے اللہ! میں تیری پناہ چاہتا ہوں اس بات سے کہ یہاں جھوٹی قسم کھاؤں یا معاملہ میں ٹوٹا اٹھاؤں۔

Bismillâhi Allâhumma Innî Asa'luka Khaira Hâzihis-sûqi Wa Khaira Mâ-fîhâ Wa A'ûzu bika min Sharri hâ Wa Sharri Mâ Fîhâ Allâhumma Innî A'ûzu bika An Usîba Fîha Yamînan Fâjiratan aw Saf-qatan Khâsirah.

"In the name of Allâh. O Allâh! I ask of Thee good of this market and the good of that which is therein and I seek refuge in Thee lest I should strike a bargain herein incurring loss."

19
AT THE TIME OF EATING

کھانا شروع کرتے وقت یہ دعا پڑھے[1]

بِسْمِ اللّٰهِ وَعَلٰى بَرْكَةِ اللّٰهِ

میں نے اللہ کے نام سے اور اللہ کی برکت پر کھانا شروع کیا۔

Bismillâhi wa 'alâ barkatillâh

"In the name of Allâh and with the blessings of Allâh."

20
WHEN FORGET TO SAY BISMILLÂH

بسم اللہ کہنا بھول جائیں تو یاد آنے پر یہ پڑھیں

بِسْمِ اللّٰهِ اَوَّلَهٗ وَاٰخِرَهٗ ○

میں نے اس کے اول وآخر میں اللہ کا نام لیا[1]

Bismillâhi awwalahû wa âkhirahû

"In the name of Allâh! The first part of it and the last part of it."

21
DU'A AFTER MEAL

کھانا کھانے کے بعد یہ دعا پڑھیں

اَلْحَمْدُ لِلّٰهِ الَّذِىْٓ اَطْعَمَنَا وَسَقَانَا وَجَعَلَنَا مِنَ الْمُسْلِمِيْنَ ○

سب تعریفیں اللہ ہی کے لئے ہیں جس نے ہمیں کھلایا اور پلایا اور مسلمان بنایا۔

Alhamdu lillâhil-lazî at'amanâ wa saqânâ wa ja'alanâ minal Muslimîn.

"Praise be to God Who fed us, and gave us drink, and made us Muslims."

---

1. حدیث شریف میں ہے کہ جس کھانے پر بسم اللہ نہ پڑھی جائے، شیطان کو اس میں ساتھ کھانے کا موقع مل جاتا ہے۔

22
AFTER TAKING MILK

دودھ پینے کے بعد یہ دعا پڑھیں

اَللّٰھُمَّ بَارِكْ لَنَا فِيهِ وَزِدْنَا مِنْهُ۔

اے اللہ! تو اس میں ہمیں برکت دے اور یہ ہم کو اور زیادہ نصیب فرما۔

Allâhumma bârik lanâ fîhi wa zidnâ minhu

"O Allâh! Bless us with it and increase it for us"

23
WHILE DINING AT THE TABLE OF OTHER PERSON

جب کسی کے یہاں دعوت کھائیں تو یہ دعا پڑھیں

اَللّٰھُمَّ اَطْعِمْ مَنْ اَطْعَمَنِىْ وَاسْقِ مَنْ سَقَانِىْ ۝

اے اللہ! جس نے مجھے کھلایا تو اسے کھلا اور جس نے مجھے پلایا تو اسے پلا۔

Allâhumma At'im Man At'amanî Wâsqi Man Saqânî.

"O Allâh! Feed him who fed me and give him drink who gave me drink."

24
AT THE TIME OF BREAKING FAST

روزہ افطار کریں تو یہ دعا پڑھیں

اَللّٰھُمَّ لَكَ صُمْتُ وَعَلٰى رِزْقِكَ اَفْطَرْتُ ۝

اے اللہ! میں نے تیرے ہی لئے روزہ رکھا اور تیرے ہی دیئے ہوئے رزق پر روزہ کھولا۔

Allâhumma Laka Sumtu wa 'alâ Rizqika Aftartu

"O Allâh! For Thee did I keep the fast, and upon Thy provision I have broken it."

25
WHEN DONING A NEW GARMENT

جب نئے کپڑے پہنے تو یہ دعا پڑھیں

اَلْحَمْدُ لِلّٰهِ الَّذِیْ کَسَانِیْ هٰذَا وَرَزَقَنِیْهِ مِنْ غَیْرِ حَوْلٍ مِّنِّیْ وَلَا قُوَّةٍ

سب تعریف اللہ ہی کے لئے ہے جس نے مجھے یہ کپڑا پہنایا اور نصیب کیا بغیر میری کوشش اور قوت کے

Alhamdu lillâhillazî kasânî hâzâ wa razaqanîhi min ghairi hawlim-minnî wa lâ quw-watin.

"All praise belongs to Allâh Who clothed me in this garment and provided me therewith, without any ability or power on my part."

26
WHILE LOOKING IN THE MIRROR

جب آئینہ میں اپنا چہرہ دیکھے تو یہ دعا پڑھے

اَللّٰهُمَّ اَنْتَ حَسَّنْتَ خَلْقِیْ فَحَسِّنْ خُلُقِیْ ٥

اے اللہ! جس طرح تو نے میری صورت اچھی بنائی ہے میرے اخلاق بھی اچھے کردے۔

Allâhumma Anta hassanta khalqî fa hassin khuluqi.

"O Allâh! Thou made my physical constitution quite good, make my character good too."

Hadith: Abdullah Bin Mas'ûd reported Allâh's messenger (peace and blessings of Allâh be upon him) as saying, adhere to truth, for truth leads to good deeds and good deeds lead him who does them to Paradise. Falsehood is wickedness and wickedness leads to Hell.

(Muslim)

27

WHEN A MUSLIM SEEKS ANOTHER MUSLIM WITH CHEERFUL COUNTENANCE

کسی مسلمان کو ہنستا دیکھے تو یوں دعا دے

اَضْحَكَ اللّٰهُ سِنَّكَ ○ اللہ تجھے ہنساتا رہے۔

Azhakal-lâhu Sinnaka

"May Allâh always keep you cheerful!"

28

WHEN ANY FAVOUR IS DONE UNTO YOU

جب کوئی احسان کرے

جَزَاكَ اللّٰهُ خَيْرًا ○ اللہ تعالیٰ! تجھے بہتر جزا دے۔

Jazakallâhu Khairan

"May Allâh give you a good reward!"

29

THE METHOD OF PRAYER FOR CONTROLLING ANGER

جب غصہ آئے

اَعُوْذُ بِاللّٰهِ مِنَ الشَّيْطٰنِ الرَّجِيْمِ ۔ پناہ چاہتا ہوں میں اللہ کی شیطان مردود سے۔

A'ûzu billâhi minash-shaitânir-rajîm

"I take refuge in Allâh from the satan outcast."

30
PRAYERS FOR WELL-BEING ON SEEING AN AFFLICTED PERSON

جب کسی مصیبت زدہ کو دیکھے

اَلْحَمْدُ لِلّٰهِ الَّذِیْ عَافَانِیْ مِمَّا ابْتَلَاكَ اللّٰهُ بِهٖ وَفَضَّلَنِیْ عَلٰی كَثِيْرٍ مِّمَّنْ خَلَقَ تَفْضِيْلًا

شکر ہے اللہ کا جس نے بچایا ہے مجھے اس مصیبت سے جس میں تجھے مبتلا کیا اور فضیلت دی مجھ کو اپنی مخلوق میں سے بہتوں پر ظاہر فضیلت۔

Al-hamdu lillâhil-lazî 'âfânî Mimmab-talakal-lâhu bihî Wa fazzalanî 'alâ Kathîrin mimman Khalaqa Tafzîla.

Praise be to Allâh Who has protected me from that with which Allâh has afflicted you, and has given me a great advantage over many of his creatures.

31
ON VISITING THE SICK

جب کسی مسلمان مریض کی عیادت کو جائے تو یوں تسلی دے

لَا بَاسَ طَهُوْرٌ اِنْ شَآءَ اللّٰهُ اَللّٰهُمَّ اشْفِهٖ اَللّٰهُمَّ عَافِهٖ

کچھ ڈر نہیں انشاء اللہ یہ بیماری گناہوں سے پاک کرنے والی ہے۔

Lâ Bâsa Tahûrun In-shâ Allâh Allâhummash-fihî Allâhumma 'Âfihî.

Mind it, it is a purger. If Allâh so wills, mind it not! It is a purger. If Allâh so wills. O Allâh! Cure him and recuperate him.

Hadith: The Prophet (SAW) said that if a Muslim visits a sick Muslim in the morning seventy thousands angels pray for such person till evening and if he visits in the evening the angels pray till morning.

32
AT THE TIME OF RIDING

جب سواری پر بیٹھ جائے تو یہ پڑھے

سُبۡحَانَ الَّذِیۡ سَخَّرَلَنَا هٰذَا وَمَا كُنَّا لَهٗ مُقۡرِنِیۡنَ ۙ وَاِنَّاۤ اِلٰی رَبِّنَا لَمُنۡقَلِبُوۡنَ ۙ

اللہ پاک ہے جس نے اس کو ہمارے قبضے میں دے دیا اور ہم اس کی قدرت کے بغیر اسے قبضہ میں کرنے والے نہ تھے اور بلا شبہ ہم کو اپنے رب کی طرف ضرور جانا ہے۔

While riding a horse or boarding a train or a plane, one should recite: Bismillâh (In the name of Allâh) and after having taken one's seat one should make the following supplication:

Subhânal-lazî sakh-khara lanâ hâza wamâ Kunna Lahû Muqrinîn. Wa Innâ Ilâ Rabbina Lamunqalibûn.

"Praise be to Allâh, Glory unto Him, Who hath subjected this (vehicle...) for us, though we were unable to subdue it. Behold we are assuredly to return unto our Lord."

33
AT THE TIME OF LANDING AT A PLACE

جب کسی منزل پر (ریلوے اسٹیشن پر یا بس اسٹاپ پر) اترے تو یہ پڑھے

اَعُوۡذُ بِكَلِمٰتِ اللّٰهِ التَّآمّٰتِ مِنۡ شَرِّ مَا خَلَقَ ۝

اللہ کے پورے کلموں کے واسطے سے اللہ کی پناہ چاہتا ہوں اس کی مخلوق کے شر سے۔

A'ûzu bi kalimâtillâhit-tâm-mâti min Sharri mâ Khalaqâ

"I seek refuge in the perfect words of Allâh from the evil that He has created."

34
FOR RELIEF IN HARDSHIP

دشواری کے وقت آسانی کیلئے

اَللّٰھُمَّ لَا سَھْلَ اِلَّا مَا جَعَلْتَہٗ سَھْلًا وَ اَنْتَ تَجْعَلُ الْحُزْنَ سَھْلًا اِذَا شِئْتَ

اے اللہ! نہیں ہے آسان مگر وہ جسے آپ نے آسان کیا اور آپ آسان کردیتے ہیں مشکل کو جب آپ چاہتے ہیں۔

Allâhumma lâ sahla Illâ mâ Ja'altahû sahlan Wa Anta Taj'alul-huzna sahlan Izâ Shi'ta.

"O Allâh! There is nothing easy except what Thou so maketh and Thou maketh the difficult easy, whatsoever Thou liketh."

35
FOR SAFEGUARDING AGAINST ALL TYPE OF DISEASES

دعاء برائے جملہ امراض

اَعُوْذُ بِعِزَّۃِ اللّٰہِ وَقُدْرَتِہٖ مِنْ شَرِّمَا اَجِدُ وَمَا اُحَاذِرُ

بسم اللہ (تین بار) پناہ چاہتا ہوں میں اللہ کی اور اس کی قدرت کی اس برائی سے جو پاتا ہوں میں اور جس کا اندیشہ کرتا ہوں میں۔

A'ûzu bi-'izzatil-lâhi wa Qudratihî Min Sharri Mâ Ajidu Wa mâ Uhâziru.

"I seek refuge in the Glory and Power of Allâh from the evil of that which I experience and that which I fear."

36
WHEN THUNDERING

جب بادل گرجے

اَللّٰهُمَّ لَا تَقْتُلْنَا بِغَضَبِكَ وَلَا تُهْلِكْنَا بِعَذَابِكَ وَعَافِنَا قَبْلَ ذٰلِكَ.

اے اللہ! نہ مار ہمیں اپنے غصہ سے، اور نہ ہلاک کر ہمیں اپنے عذاب سے اور معافی دے ہمیں اس سے پہلے۔

Allâhumma lâ taqtulnâ Bi-ghazabika Walâ Tuhliknâ Bi'azâbika Wa'âfinâ Qabla Zâlik.

"O Allâh! Do not kill us with Thy wrath and not destroy us with Thy torture. Take us in Thy protection before such a (catastrophic) happening."

37
AT THE TIME OF RAINFALL

بارش کے وقت کی دعا

اَللّٰهُمَّ صَيِّبًا نَافِعًا

یا اللہ برسانا مینھ مفید

Allâhumma Sayyiban Nâfi'an.

"O Allâh! Make it a refreshing and profitable downpour."

38
WHEN THERE IS AN EXCESSIVE DOWNPOUR

جب بارش زیادہ ہوجائے

اَللّٰهُمَّ حَوَالَيْنَا وَلَا عَلَيْنَا اَللّٰهُمَّ عَلَى الْاٰكَامِ وَالْاٰجَامِ وَالظِّرَابِ وَالْاَوْدِيَةِ وَمَنَابِتِ الشَّجَرِ.

یا اللہ! برسایئے آس پاس ہمارے اور ہمارے اوپر نہیں، یا اللہ ٹیلوں پر اور جھاڑیوں پر اور پہاڑوں پر اور نالوں پر اور درختوں کے موقعوں پر۔

Allâhumma hawalaina walâ 'alainâ Allâhumma 'alal

âkami wal-âjâmi Walzirâbi Wal-awdiyati Wa manabitish-shajar.

"O Allâh! Let there be downpour in our suburbs but not on us. Let the rain fall on hillocks, in the thickets, on the mountains, rivers and on the hotbeds of plantations."

39
FOR THIS STRENGTHENING OF MEMORY

یادداشت بڑھانے کی دعا

پانچوں نمازوں کے بعد سر پر ہاتھ رکھ کر گیارہ مرتبہ اے طاقت والے۔

Ya Qawiyyu

یَا قَوِیُّ پڑھیں

Daily after the five Farz Prayers, place your hand on the head and recite eleven times: *ya qawiyyu* (O Strong)

40
FOR IMPROVEMENT OF EYESIGHT

نظر کی کمزوری کے لئے یہ دعا پڑھیں

پانچوں نمازوں کے بعد گیارہ بار یَا نُوْرُ پڑھ کر اے روشنی دینے والے
دونوں ہاتھوں کے پوروں پر دم کر کے آنکھوں پر پھیر لیں۔

Yâ Nûru

Daily after the five Farz Prayers, recite eleven times the words: *Yâ Nûro* (O Light) and place the end of your fingers on your eyes.

KALIMAH

KA-LI-MAH TAY-YI-BAH

(The Kalimah of Purtiy)

کلمۂ طیبہ

لَآ اِلٰهَ اِلَّا اللّٰهُ مُحَمَّدٌ رَّسُوْلُ اللّٰهِ ط

اللہ کے سوا کوئی عبادت کے لائق نہیں ہے اور حضرت محمد ﷺ اللہ کے رسول ہیں۔

La 'ilaa-ha 'il-lal-laa-hu Mu-ham-ma-dur ra-soo-lul-laah.

There is none worthy of worship besides Allah; Hadhrat Muhammad ﷺ is the messenger of Allah.

KA-LI-MAH SHA-HAA-DAH

(The Kalimah of Testimony)

کلمۂ شہادۃ

اَشْهَدُ اَنْ لَّآ اِلٰهَ اِلَّا اللّٰهُ وَاَشْهَدُ اَنَّ مُحَمَّدًا عَبْدُهٗ وَ رَسُوْلُهٗ ط

میں اس بات کی گواہی دیتا ہوں کہ اللہ کے سوا کوئی عبادت کے لائق نہیں ہے ۔ اور میں اس بات کی گواہی دیتا ہوں کہ محمد ﷺ اللہ کے بندے اوراس کے رسول ہیں۔

'Ash-hadu 'an laa 'i-laa-ha 'il-lal-laa-hu wa 'ash-ha-du 'anna Mu-ham-ma-dan 'ab-du-hoo wa ra-soo-luhu.

I bear witness that there is none worthy of worship besides Allah; and I bear witness that Hadhrat Muhammad ﷺ is His servant and messenger.

KA-LI-MAH TAM-JEED
(The Kalimah of Glorification)

کلمۂ تمجید

سُبۡحَانَ اللّٰهِ وَالۡحَمۡدُ لِلّٰهِ وَلَآ اِلٰهَ اِلَّا اللّٰهُ وَاللّٰهُ اَكۡبَرُ وَلَا حَوۡلَ وَلَا قُوَّةَ اِلَّا بِاللّٰهِ الۡعَلِيِّ الۡعَظِيۡمِ ط

اللہ تمام عیبوں سے پاک ہے اور تمام تعریفیں اللہ ہی کے لیے ہیں، اللہ کے سوا کوئی عبادت کے لائق نہیں ہے، اللہ سب سے بڑا ہے، اس اللہ کے بغیر کسی کے پاس کوئی طاقت وقوت نہیں ہے جو بلند اور عظمت والا ہے۔

Sub-haa-nal-laa-hi wal ham-du-lil-laa hi wa-laa 'i-laa-ha 'il-lal-laa-hu wal-laa-hu'ak-bar wa-laa haw-la wa-laa quwwa-ta 'il-laa bil-laa-hil a-liy-yil 'a-zeem

Glory be to Allah and all praise be to Allah. There is none worthy of worship besides Allah. And Allah is the Greatest. There is no power and might except from Allah, The Most High, The Great.

KA-LI-MAH TAW-HEED
(The Kalimah of unity)

کلمۂ توحید

لَآ اِلٰهَ اِلَّا اللّٰهُ وَحۡدَهٗ لَا شَرِيۡكَ لَهٗ لَهُ الۡمُلۡكُ وَلَهُ الۡحَمۡدُ يُحۡيِ وَيُمِيۡتُ بِيَدِهِ الۡخَيۡرُ وَهُوَ عَلٰى كُلِّ شَيۡءٍ قَدِيۡرٌ ط

اللہ کے سوا کوئی عبادت کے لائق نہیں ہے جو تنہا ہے اس کی خدائی میں کوئی ساجھی نہیں، اسی کی سلطنت ہے، تمام تعریفیں اسی کے لیے ہیں، وہی زندگی بھی دیتا ہے اور موت بھی اور وہ ہر چیز پر قادر ہے (اسی کا بس چلتا ہے)۔

Laa "i-laa-ha 'il-lal-laa-hu wah-da-hoo laa sha-reeka la-hoo la-hul mul-ku wa-la-hul ham-du yuh-yee wa-yu-mee-tu bi-ya-di-hil khai-ru wa-hu-wa 'a-laa kul-li

shay-'in qadeer.

There is none worthy of worship besides Allah. He is One. He has no partner. His is the kingdom and for Him is all praise. He gives life and causes death. In His hand is all good. And He has power over everything.

KA-LI-MAH RAD-DE KUFR

(The Kalimah of Rejecting Disbelief)

کلمۂ ردّ کفر

اَللّٰھُمَّ اِنِّیۡۤ اَعُوۡذُبِکَ مِنۡ اَنۡ اُشۡرِکَ بِکَ شَیۡئًا وَّاَنَا اَعۡلَمُ بِہٖ وَاَسۡتَغۡفِرُکَ لِمَا لَاۤ اَعۡلَمُ بِہٖ تُبۡتُ عَنۡہُ وَتَبَرَّاۡتُ مِنَ الۡکُفۡرِ وَالشِّرۡکِ وَالۡکِذۡبِ وَالۡغِیۡبَۃِ وَالۡبِدۡعَۃِ وَالنَّمِیۡمَۃِ وَالۡفَوَاحِشِ وَالۡبُہۡتَانِ وَالۡمَعَاصِیۡ کُلِّہَاۤ وَاَسۡلَمۡتُ وَاَقُوۡلُ لَاۤ اِلٰہَ اِلَّا اللّٰہُ مُحَمَّدٌ رَّسُوۡلُ اللّٰہِ ط

الٰہی میں تیری پناہ مانگتا ہوں اس بات سے کہ کسی چیز کو تیرا شریک بناؤں اور مجھے اس کا علم ہو اور میں معافی مانگتا ہوں تجھ سے اس (گناہ) سے جس کا مجھے علم نہیں میں نے اس سے توبہ کی اور بیزار ہوا کفر سے اور شرک سے اور جھوٹ سے اور غیبت سے اور بدعت سے اور چغلی سے اور بے حیائی کے کاموں سے اور تہمت لگانے سے اور (باقی) ہر قسم کی نافرمانیوں سے اور میں ایمان لایا اور میں کہتا ہوں کہ اس کے سوا کوئی معبود نہیں حضرت محمد ﷺ اللہ کے رسول ہیں۔

'Al-laa-hum-ma 'in-nee 'a-'oo-thu bi-ka min 'an 'ush-ri-ka bi-ka shay-'an wa'a-na 'a'-la-mu bi-hee wa 'as-tagh-fi-ru-ka li-maa laa 'a'la-mu bi-hee; tub-tu 'an-hu wa ta-bar-ra'tu mi-nal kuf-ri wash-shir-ki wal ma -'aa-see kul-li-haa wa-'as-lam-tu wa 'aa-man-tu wa-'a-qoo-lu laa'i-laa-ha 'il-lal-laa-hu-Mu-ham-ma-dur ra-soo-lul-laah.

O Allah, I seek protection in you from that I should join any partner with You knowingly. I seek Your forgiveness from that which I do not know. I repent from ignorance I free myself from disbelief and from joining partners with You and I free myself from all sins. I submit to Your will. I believe and I declare : There is none worthy of worship besides Allah and Hadhrat Muhammad ö (Peace be upon him) is the Messenger of Allah.

I-MAA-NE MUJ-MAL
(Articles of Faith in Brief)

ایمان مجمل

اٰمَنْتُ بِاللّٰهِ كَمَا هُوَبِاَسْمَآئِهٖ وَصِفَاتِهٖ وَقَبِلْتُ جَمِيْعَ اَحْكَامِهٖ ط

میں ایمان لایا اللہ پر جیسا کہ وہ اپنے ناموں اور اپنی صفتوں کے ساتھ ہے اور میں نے اس کے سارے حکموں کو قبول کیا۔

'Aa-man-tu bil-laa-hi ka-maa hu-wa bi-'as-maa-'i-hee wa si-faa-ti-hee wa qa-bil-tu ja-mee-'a 'ah-kaa-mi-hee.

I believe in Allah as He is understood by His names and His attributes and I eccept all His orders.

I-MAA-NE MU-FAS-SAL
(Articles of Faith in Detail)

ایمان مفصّل

اٰمَنْتُ بِاللّٰهِ وَمَلٰٓئِكَتِهٖ وَكُتُبِهٖ وَرُسُلِهٖ وَالْيَوْمِ الْاٰخِرِ وَالْقَدْرِ خَيْرِهٖ وَشَرِّهٖ مِنَ اللّٰهِ تَعَالٰى وَالْبَعْثِ بَعْدَ الْمَوْتِ ط

میں ایمان لایا اللہ پر۔ اور اس کے فرشتوں پر اور اس کی کتابوں پر اور اس کے رسولوں پر اور قیامت کے دن پر اور اچھی بری تقدیر پر کہ وہ اللہ تعالیٰ کی طرف سے ہے اور مرنے کے بعد جی اٹھنے پر۔

'Aa-man-tu bil-laa-hi wa ma-laa-'i-ka-ti-hee wa ku-tu-bi-hee wa ru-su-li-hee wal yau-mil 'aa-khi-ri wal qad-ri khai-

ri-hee wa shar-ri-hee mi-nal laa-hi ta-'aa-laa wal ba'-thi ba'-dal maut.

I believe in Allah and His angels and His books and His messengers and the Last Day, and in Taqdeer – the good and thereof and the bad thereof–which is from Allah, the Most High; and I believe in the raising after death.

(Taqdeer : Predestination; measurement of things)

MAKING WUDHU

DU'AA BEFORE COMMENCING WUDHU

بِسْمِ اللّٰهِ وَالْحَمْدُ لِلّٰهِ

1. Using TAHIR (clean) water FIRST wash BOTH the HANDS upto the WRISTS THREE times.

2. Use a MISWAAK for cleaning the teeth and then GARGLE the mouth THREE times.
   ❖ It is SUNNAT to make MISWAAK during WUDHU

3. Thereafter take water upto the NOSTRILS THREE times with the RIGHT hand and clean the nose with the LEFT hand.

4. Then wash your FACE THREE times. Wash from the hairy part of the forehead to below the chin and from one ear lobe to the other.

5. Then make KHILAL of the BEARD.

6. Thereafter wash the RIGHT HAND INCLUDING the ELBOW THREE times.

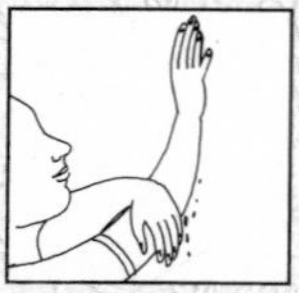

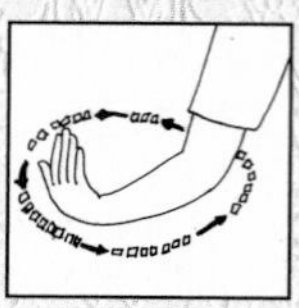

7. Then wash the LEFT HAND INCLUDING the ELBOW thrice.

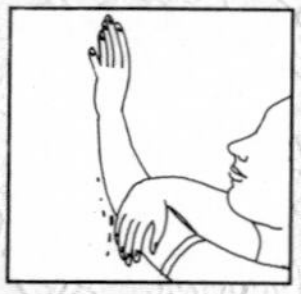

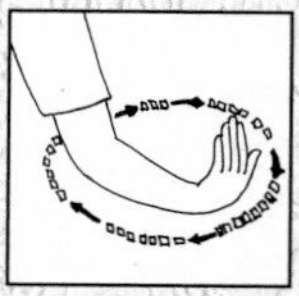

8. Then make KHILAL of the FINGERS.

9. Thereafter wet the hands and pass them over the head, ears and nape. This must be done once only. It is known as MASAH

MASAH [wet the hands & fingers] ❖Keep THREE fingers of each hand together (middle finger, ring finger and little finger). ❖ Keep thumb and index finger raised (away). ❖ Keep thumb, index finger and palm away from the head. Pass the three fingers from the forehead to the upper portion of the nape.

Figure 1

Figure 2

❖ Then place the palm on the sides of the head and bring forward to forehead.

Figure 3

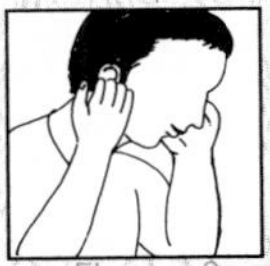

❖ Then insert the front portion of the index finger into the openings of the ear.

Figure 4

❖ Then make Masah behind the ears with the inner part of the thumb.

❖ Make Masah of the nape with the back of the middle finger, ring finger and the little finger.

10. Then wash BOTH the FEET INCLUDING the ANKLES THREE times. First the RIGHT foot and then the LEFT foot.

❖ First wash the RIGHT FOOT and then LEFT FOOT then make KHILAL including the ankle and of the TOES.

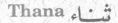

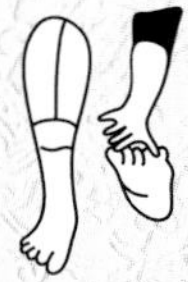

TASBIHAAT-E-SALAH

Thana ثناء

سُبْحَانَكَ اللّٰهُمَّ وَبِحَمْدِكَ
وَتَبَارَكَ اسْمُكَ وَتَعَالٰى جَدُّكَ
وَلَآ اِلٰهَ غَيْرُكَ ط

اے اللہ! تیری ذات پاک ہے خوبیوں والی اور
تیرا نام برکت والا ہے اور تیری شان اونچی ہے
اور تیرے سوا کوئی معبود نہیں۔

subhanaka allahumma wa bihamdika wa tabarakasmuka wa ta-'ala jadduka wa lailaha ghairuka.

All Glory be to you O Allah! and praise be to you; Blessed is Your name and Exalted is your Majesty, and there is none worthy of worship besides You.

Ruku رکوع

(Tasbeeh for Ruku)

سُبْحَانَ رَبِّیَ الْعَظِیْمِ ط پاک ہے میرا پروردگار عظمت والا۔

subhana rabbiyal azîme

How Glorious is my Lord the Great!

Tasmee تسمیع

(Tasbeeh for Tasmeeh)

سَمِعَ اللّٰہُ لِمَنْ حَمِدَہٗ ط اللہ نے اس بندے کی (بات) سن لی جس نے اُس کی تعریف کی۔

sami-allahu liman hamidah

Allah has listened to him who has praised Him.

Tahmeed تحمید

(Tasbeeh for Tahmeed)

رَبَّنَا لَکَ الْحَمْدُ ط اے میرے پروردگار تیرے لیے تمام تعریف ہے

Rab-ba-naa la-kal hamd

O our Lord! Praise be to You.

Sajdah سجدہ

(Tasbeeh for Sajdah)

سُبْحَانَ رَبِّیَ الْاَعْلٰی ط پاک ہے میرا پروردگار جو بلند مرتبے والا ہے۔

Subhana rabbiyal a'la

All glory be to my Lord, the Highest of all.

At-tahiyyat التحیّات

اَلتَّحِیَّاتُ لِلّٰہِ وَالصَّلَوٰتُ وَالطَّیِّبٰتُ ط اَلسَّلَامُ عَلَیْکَ اَیُّھَا النَّبِیُّ وَرَحْمَةُ اللّٰہِ وَبَرَکَاتُہٗ ط اَلسَّلَامُ عَلَیْنَا وَعَلٰی عِبَادِ اللّٰہِ الصّٰلِحِیْنَ اَشْھَدُ اَنْ لَّآ اِلٰہَ اِلَّا اللّٰہُ وَاَشْھَدُ اَنَّ مُحَمَّدًا عَبْدُہٗ وَرَسُوْلُہٗ ط

تمام زبان کی عبادتیں اللہ کے لیے ہیں، اور بدنی عبادتیں اور مالی عبادتیں بھی، سلام ہو تم پر اے نبی اور اللہ کی رحمت اور اس کی برکتیں، سلامتی ہو ہم پر اور اللہ کے نیک بندوں پر، میں گواہی دیتا ہوں کہ اللہ کے سوا کوئی معبود نہیں اور میں گواہی دیتا ہوں کہ حضرت محمد ﷺ اس کے بندے اور اس کے رسول ہیں۔

at-tahiyyatu lillahi was-salawatu wat-taiyibatu as salamu 'alaika aiyohan-nabiyyu wa rahmatul-lahi wa barakatuhu as-salamu alaina wa'ala ibadillahis - salihîn, ashhadual-la ilaha illallahu wa ashhadu anna muhammadan abdubu warasuluhu.

All reverence, all worship, all sanctity are for Allah. Peace be upon you O Prophet! and the Mercy of Allah and His Blessings. Peace be upon us and all the righteous servants of Allah. I bear witness that none is worthy of worship besides Allah and Muhammad is His devotee and Messenger.

درود شریف Durood shareef

الٰہی ہمارے سردار حضرت محمدﷺ پراور حضرت محمد ﷺ کی آل پر رحمت بھیج جس طرح تو نے رحمت بھیجی حضرت ابراہیم (علیہ السلام) پراور حضرت ابراہیم (علیہ السلام) کی آل پر بیشک تو تعریف کیا گیا ہے بزرگ ہے۔

اَللّٰهُمَّ صَلِّ عَلٰی مُحَمَّدٍ وَّعَلٰی اٰلِ مُحَمَّدٍ کَمَا صَلَّیْتَ عَلٰی اِبْرٰهِیْمَ وَعَلٰی اٰلِ اِبْرٰهِیْمَ اِنَّکَ حَمِیْدٌ مَّجِیْدٌ ط

allahumma salli 'ala muhammadin wa'ala aali muhammadin kama sllaita 'ala ibrahîma wa'ala aali ibrahîma innaka hamidum majîd.......

O Allah! Shower Your mercy upon Muhammad ﷺ and the followers of Muhammad ﷺ as You showered Your mercy upon Ebraheem and the followers of Ebraheem عليه السلام, Verily. You are Praiseworthy, Glorious.

الٰہی برکت دے ہمارے سردار حضرت محمدﷺ کو اور ہمارے سردار حضرت محمد ﷺ کی آل کو جس طرح تو نے برکت دی حضرت ابراہیم (علیہ السلام) کو اور حضرت ابرہیم (علیہ السلام) کی آل کو بیشک تو تعریف کیا گیا ہے بزرگ ہے۔

اَللّٰهُمَّ بَارِکْ عَلٰی مُحَمَّدٍ وَعَلٰی اٰلِ مُحَمَّدٍ کَمَا بَارَکْتَ عَلٰی اِبْرٰهِیْمَ وَعَلٰی اٰلِ اِبْرٰهِیْمَ اِنَّکَ حَمِیْدٌ مَّجِیْدٌ ط

allahumma barik 'ala muhammadin waala aali muhammadin kama barakta ala ibrahima wa'ala aali ibrahima innaka hamîdum majîd.

O Allah! Shower Your blessings upon Muhammad ﷺ and the followers of Muhammad, ﷺ as You showered Your blessings upon Ebraheem and the followers of Ebraheem عليه السلام, Verily. You are Praiseworthy, Glorious.

THE DU'AA AFTER DUROOD

درود کے بعد کی دعاء

اَللّٰهُمَّ اِنِّیْ ظَلَمْتُ نَفْسِیْ ظُلْمًا كَثِيْرًا وَّلَا يَغْفِرُ الذُّنُوْبَ اِلَّآ اَنْتَ فَاغْفِرْلِیْ مَغْفِرَةً مِّنْ عِنْدِكَ وَارْحَمْنِیْ اِنَّكَ اَنْتَ الْغَفُوْرُ الرَّحِيْمُ ؕ	اے اللہ! بیشک میں نے اپنے نفس پر بہت زیادہ ظلم کیا ہے اور اس گناہ کو تیرے سوا کوئی نہیں بخش سکتا پس تو میری بخشش کردے اپنی جانب سے اور مجھ پر رحم فرما بیشک تو بہت زیادہ رحم کرنے والا ہے۔

allahumma inni zalamtu nafsi zulman kathiran wala yaghfiruz-zunuba illa anta faghfirli maghfiratam min 'indika warhamni innaka antal ghafurur rahim

O Allah! I have been extremely unjust to myself and none grants Forgiveness against sins but You; therefore, forgive me, with Forgiveness that comes from You, and have Mercy upon me. Verily You are the Forgiving, the Merciful.

Salam سلام

(Tasbeeh for Salam)

اَلسَّلَامُ عَلَيْكُمْ وَرَحْمَةُ اللّٰهِ ؕ — سلامتی ہو تم پر اور اللہ کی رحمت ہو۔

As-salamu alaikum wa rahmatullah.

Peace be upon you and the Mercy of Allâh.

Du'aa-e-Qunoot دُعَائے قنُوت

allahumma inna nasta'inuka wanastaghfiruka wanuminu bika wanata wakkalu alaika wa nusni alaikalkhaira wa nashkuruka wala nakfuruka wa nakhla-'u wa natruku main-yafjuruka allahumma iyyaka na'budu walaka nusalli wa-nasjudu wa-ilaika nas'aa wa-nahfidu wa narju rahmataka wa nakhsha 'azabaka inna 'azabaka bil-kuffari mulhiq.

O Allah! We beseech Your help and we ask Your pardon and we believe in You, and we put our trust in You and we praise You in the best manner and we thank You and we are not ungrateful to You and we cast off and leave one who disobeys You. O Allah! You alone we worship and to You do we pray and we prostrate and to You do we flee and we are quick and we hope for Your mercy and we fear Your punishment No doubt Your punishment overtakes the unbelievers.

اَللّٰهُمَّ اِنَّا نَسْتَعِيْنُكَ وَنَسْتَغْفِرُكَ
وَنُؤْمِنُ بِكَ وَنَتَوَكَّلُ عَلَيْكَ
وَنُثْنِىْ عَلَيْكَ الْخَيْرَ ط وَنَشْكُرُكَ
وَلَا نَكْفُرُكَ وَنَخْلَعُ وَنَتْرُكُ مَنْ
يَّفْجُرُكَ ط اَللّٰهُمَّ اِيَّاكَ نَعْبُدُ وَلَكَ
نُصَلِّىْ وَنَسْجُدُ وَاِلَيْكَ نَسْعٰى
وَنَحْفِدُ وَنَرْجُوْا رَحْمَتَكَ
وَنَخْشٰى عَذَابَكَ اِنَّ عَذَابَكَ
بِالْكُفَّارِ مُلْحِقٌ ط

الٰہی ہم تجھ سے مدد چاہتے ہیں اور تجھ سے معافی
مانگتے ہیں اور تجھ پر ایمان لاتے ہیں اور تجھ پر
بھروسہ رکھتے ہیں اور تیری بہت اچھی تعریف
کرتے ہیں اور تیرا شکر کرتے ہیں اور تیری
ناشکری نہیں کرتے اور الگ کرتے ہیں اور
چھوڑتے ہیں اُس شخص کو جو تیری نافرمانی کرے
الٰہی ہم تیری ہی عبادت کرتے ہیں اور تیرے ہی
لیے نماز پڑھتے ہیں اور سجدہ کرتے ہیں اور تیری
ہی طرف دوڑتے اور خدمت کے لیے حاضر
ہوتے ہیں اور تیری رحمت کے اُمیدوار ہیں اور
تیرے عذاب سے ڈرتے ہیں بیشک تیرا عذاب
کافروں کو ملنے والا ہے۔

جَامِع دُعَآء

آنحضرت صلی اللہ علیہ وسلم نے ایک ایسی جامع دُعاء کی بھی تعلیم فرمائی ہے جس میں ساری دُعائیں آجاتی ہیں ۔ اس کو ہر نماز کے بعد ایک بار پڑھ لیا جائے تو بہتر ہے۔

اَللّٰهُمَّ اِنَّا نَسْئَلُكَ مِنْ خَيْرِ مَا سَاَلَكَ مِنْهُ نَبِيُّكَ مُحَمَّدٌ صَلَّى اللّٰهُ عَلَيْهِ وَسَلَّمَ وَنَعُوْذُ بِكَ مِنْ شَرِّ مَا اسْتَعَاذَ مِنْهُ نَبِيُّكَ مُحَمَّدٌ صَلَّ اللّٰهُ عَلَيْهِ وَسَلَّمَ۔

اے اللہ ہم تجھ سے وہ سب مانگتے ہیں جو تیرے نبی محمد صلی اللہ علیہ وسلم نے تجھ سے مانگا اور ہم ان چیزوں سے پناہ چاہتے ہیں جن سے تیرے نبی محمد صلی اللہ علیہ وسلم نے پناہ چاہی۔

رَبَّنَا لَا تُزِغْ قُلُوْبَنَا بَعْدَ اِذْهَدَيْتَنَا وَهَبْ لَنَا مِنْ لَّدُنْكَ رَحْمَةً اِنَّكَ اَنْتَ الْوَهَّابُ ۝ رَبَّنَا تَقَبَّلْ مِنَّآ اِنَّكَ اَنْتَ السَّمِيْعُ الْعَلِيْمُ ۝ وَصَلَّى اللّٰهُ عَلٰى سَيِّدِنَا وَ مَوْلَانَا مُحَمَّدٍ وَّ اٰلِهٖ وَاَصْحَابِهٖ وَ اُمَّتِهٖ وَ بَارِكْ وَسَلِّمْ كَثِيْرًا كَثِيْرًا ط